Domitille de Pressensé

émilie
et le pique-nique

Mise en couleurs: Guimauv'

youpi !

c'est aujourd'hui
le jour du pique-nique.

on aide maman
à préparer
les sandwichs,
les tomates cerises,

le gros gâteau
au chocolat et les
bouteilles de jus de fruit.

on ouvre la porte.
il y a plein de nuages
tout noirs dans le ciel.

oh...
il va peut-être pleuvoir ?

émilie prend le grand
parapluie vert.

allez, en route !
dit guillaume.

on part loin, très loin,
encore plus loin que l

ond du jardin.

pff ! il est vraiment
lourd ce panier.

nicolas le tire avec
le grand parapluie.

ouh là !

tout se renverse !

et voilà !

maintenant, on est obligés de s'installer ici pour pique-niquer.

aïe aïe aïe...

le gâteau au chocolat
est un peu abîmé...

heureusement, il sent toujours très très bon...

et si on commençait par le dessert ? miam !

quelle bonne idée !

chacun prend
une **grosse** part
de gâteau.

et les miettes,
c’est pour le pique-nique
des petites bêtes.

oh !

j’ai reçu une goutte
d’eau sur le nez.
et là, encore une.

vite ! vite ! on ouvre
le grand parapluie.

tous les cousins
se mettent à l’abri.

mais il y a beaucoup
de vent

et le parapluie s’envole.

ça y est,
on l'a rattrapé !

ouh là là !

il pleut vraiment trop fort !

vite ! on rentre
à la maison pour
manger les sandwichs.

quel drôle
de pique-nique !

Mise en page : Guimauv'
www.casterman.com

ISBN 978-2-203-06450-8
N° d'édition : L.10EJDN001128.N001
Achevé d'imprimer en janvier 2013, en Italie
Dépôt légal : avril 2013 ; D.2013/0053/217
Déposé au ministère de la Justice, Paris (loi n° 49.956 du 16 juillet 1949 sur les publications destinées à la jeunesse).